S.PH.
M.M

dre la lumière en inspirant et en expirant, fixant mon attention sur la région génitale. (Je peux faire plusieurs respirations pendant que mon attention est ainsi fixée: l'important est de conserver une image constante, et il peut se passer un certain temps avant que l'on puisse arriver à créer l'attitude de la demande d'aide et du lâcher prise qui s'ensuit.) J'avale la lumière et la concentre sur les troubles qui se logent dans la région des organes sexuels.

Voilà une façon de se prédisposer à l'abandon.

Comme je l'ai dit plus haut, la méditation est axée sur la vie. On ne vit pas pour méditer, mais *on médite pour se préparer à mieux vivre sa vie*, à l'affronter, à l'accepter, à l'absorber pleinement — non pour fuir la laideur, la monotonie ou le

poids de la vie quotidienne. La méditation n'est en aucune façon une évasion. C'est une préparation à la réalité, à tout ce que notre vie contient de leçons et d'occasions de progresser. On médite pour apprendre à aimer — à aimer ce que l'on est (tout ce que l'on est), à aimer ce qui se présente, ce que nous réservent les événements, nos limites et les personnes environnantes.

Aimer, c'est dépasser l'émotion possessive et les idées, c'est être un avec ce qui est en nous et hors de nous, c'est dépasser la séparation entre notre tête et notre corps, entre notre corps et la nature, entre nous et les autres. *C'est rentrer dans l'unité, se raccorder, s'unifier, se rassembler*. C'est dépasser le petit ego qui est le côté séparatiste en nous — la défensive/offensive qui empêche de comprendre et de s'oublier, de s'unir à la vie.

L'ego est sans cesse tiraillé *à hue et à dia* par les émotions — les choses plaisantes et déplaisantes. Il est en même temps désir et lutte, attraction et répulsion. Il regarde le passé agréable avec envie, il craint de regarder ce qui dans le passé a été malheureux; il aspire à l'avenir en ce qu'il est prometteur, mais le craint en ses malheurs possibles. Donc, un écartèlement continuel entre désir et peur. La méditation aide à dépasser la peur et le désir, elle apprend à accepter toutes choses sans émotivité, sans passion déformante, sans exaltation ou déprime, mais dans le calme, la paix et un certain humour. Elle rend heureux.

Si la méditation est un instrument d'une grande utilité, surtout à notre époque, en revanche, certains sont portés à exagérer l'importance de la méditation ou de telle forme de méditation. Je crois cependant qu'il faut ici garder sa liberté (ou la retrouver) et suivre son intuition. Il y a moyen de faire un absolu de tout, bien sûr. Mais ce qui est un instrument est toujours l'instrument *de* quelque chose; par conséquent, ce ne peut être un absolu auquel on soumettrait tout le reste.

Ainsi, certains ont pu ériger en absolu la nourriture végétarienne, le jeûne, telle technique de relaxation ou de régression, de méditation ou de prière, comme on l'a fait tant de fois avec les religions, les modes, les idéologies et les personnalités. Ça peut être long avant d'apprendre à être relatif en toutes choses. C'est du reste dans la mesure où on apprend à reconnaître les *relations* qui existent entre toutes choses que l'on devient plus *relatif* dans ses options. En voyant que tout est relié et que, par conséquent, rien dans cet ensemble n'est séparé du reste, on peut mieux apprécier la valeur *relative* de chaque chose et l'utiliser intelligemment comme une partie à l'intérieur d'un tout.

Je pense qu'il faut savoir se servir des divers moyens mis à sa disposition par les connaissances et la technologie modernes, mais il ne faudrait pas non plus perdre de vue ce vers quoi tout cela doit mener. Il s'agit toujours de savoir que les feuilles n'ont pas de sens sans le tronc de l'arbre.

Certains chercheront avant tout des expériences. Ils vont collectionner des expériences comme on collectionne des posters, des disques ou des autos classiques. Ils ne veulent pas avant tout affronter leur vie pour lâcher prise et perdre leurs peurs. Ce qu'ils cherchent ce n'est pas tant de *changer leur attitude* profonde, mais de changer simplement de décor. Ainsi, on fera du rebirthing, de la régression, de la bio-énergie, de la technique Nadeau, du rolfing et de l'acupunc-

ture. Mais mon expérience m'a montré que les méthodes n'aident que dans la mesure où il y a un profond et radical désir de lâcher prise. Qu'il y a la détermination d'aller jusqu'au bout.

Ce que l'on veut avant tout c'est perdre la peur fondamentale. Pour que cela se produise, il faudra le demander, c'est-à-dire se rendre disponible à cette transformation, se disposer à changer d'attitude de façon profonde. Toutes les techniques sont en fonction de cette mutation radicale qui ne se fait pas sans un Oui qui engage et entraîne tout l'être.

L'être humain ne veut pas être libéré, être vraiment libéré. Il veut sauver la chèvre et le chou: conserver un minimum de ses anciennes habitudes, mais rester quand même ouvert. Garder ses préjugés, ses doutes et ses méfiances, mais se donner l'impression qu'on veut vraiment changer en suivant des cours, en employant des méthodes et en lisant des livres sur la question, que l'on discute ensuite dans des rencontres édifiantes. Il faut souvent un choc profond, un renversement radical, une expérience de désespoir pour que le sol même de notre existence soit réellement ébranlé. Aussi longtemps que cela ne s'est pas produit, on peut tâter de tout sans beaucoup de conséquences, cela demeure du maquillage et du changement de décor.

Il n'y a pas que les temps réservés spécifiquement à la méditation qui peuvent mener au lâcher prise, c'est-à-dire au bonheur. Il y a plusieurs actions de la vie quotidienne qui contiennent ou appellent cette même attitude.

Par exemple: donner naissance à un enfant, uriner, déféquer (c'est souvent aux toilettes que «l'union à Dieu» est la plus forte), dormir, flotter sur l'eau, saliver, s'abandonner pendant l'acte sexuel, savourer un fruit, humer l'air, se remplir de l'odeur d'une fleur ou d'un parfum, contempler un paysage, un oiseau ou un regard d'enfant, chanter, improviser une danse, un air ou un dessin. Dans chacune de ces actions, le contrôle cède le pas à l'abandon, le côté activité (le principe masculin) fait place au côté réceptivité (féminin), le Yang au Yin.

Ces actions nous permettent d'entrer en union avec le principe de la vie au-delà du mental. (Hokusaï dit que si l'on veut dessiner en oiseau, il faut en devenir un.) C'est le corps qui prend le dessus, c'est la vie qui nous emporte dans son courant. Aussi, y a-t-il un élément de bonheur dans ces activités, même lorsqu'elles sont physiquement douloureuses. Voilà des occasions d'entrer dans l'attitude du lâcher prise. La sagesse de la vie s'empare alors de nous et nous n'avons plus qu'à nous laisser faire. Si on

essaie de saliver ou de dormir, cela ne se fera pas. Ces activités ne peuvent se déclencher qu'indirectement, «sur la bande» pour ainsi dire. Il n'y a pas de prise directe sur la vie. En vérité, il n'y a pas de prise du tout. Il n'y a que du lâcher prise. C'est alors que l'on vit le plus intensément, que l'on apprend le plus (la suggestopédie nous a montré qu'on apprenait plus dans la détente que dans l'effort). C'est là que l'éducation et la croissance se font le mieux. Car c'est là que le divin est le plus à l'œuvre et que nous-mêmes agissons le moins avec l'ego. Le divin, c'est la détente suprême, le loisir continuel, la danse sans commencement ni fin, la ronde infinie comme celle des ruisseaux parcourant et entourant la terre.

Le jeûne mental

Avant Freud, on ne connaissait ni la psychanalyse ni le rebirthing, la régression ou le bain flottant. Cependant, tous les grands maîtres se sont réalisés, sans avoir recours à des moyens extérieurs. C'est que *la vie elle-même* est la technique essentielle, elle contient tous les moyens de se changer, de lâcher prise, d'entrer dans un Bonheur de paix et d'acceptation. *Car on attire toujours les épreuves dont on a besoin pour avancer*. Et ces épreuves contiennent les leçons nécessaires; mais, bien souvent, ce sont celles-là que l'on rejette avec le plus d'indignité.

Autrefois, on pratiquait tout au long des siècles ce qui s'appelle le jeûne mental, c'est-à-dire que l'on gardait le silence intérieur. (Le silence extérieur, verbal, peut y aider mais il n'en est aucunement la garantie, comme le montrent ces couvents de moines qui sont censés vivre en silence, mais qui ne gardent pas le silence *mental* dans la mesure où ils communiquent par des signes ou des messages écrits. Il n'y a qu'à observer les sourds-muets pour s'apercevoir que le *silence verbal* n'empêche pas la transmission de messages.) Le silence mental pouvait se pratiquer en allant passer du temps à la campagne, sans messagers (journaux) et sans communication avec l'extérieur. Aujourd'hui, il faudrait y ajouter: sans télé, sans téléphone ni radio, tout en se nourrissant comme à l'ordinaire et en travaillant de ses mains, par exemple, au jardin.

Qu'est-ce que cela produit? En privant le mental de sa nourriture habituelle (nouvelles, carrousels de malheurs personnels), il finit par crever de faim. C'est alors qu'il sort ses réserves — tous les menus d'images et d'émotions qu'il a confiés au congélateur de la mémoire. Le silence mental dégèle le passé qui remonte des bas-fonds. La conscience voit se dérouler le film de ses refoulements, car, comme l'on sait, tout a été enregistré. Alors, tout remonte, tout sort, tout s'exprime. Ainsi se libère-t-on de son passé, comme le jeûne physique débarrasse le corps de ses poisons emprisonnés.

Aujourd'hui, il est encore possible de pratiquer ce jeûne mental. Je n'encouragerais cependant pas à le faire en même temps qu'un jeûne physique. Mais s'il n'est pas possible de passer un mois complet chez des amis à la campagne où on s'occuperait en silence (sans écrire toutefois, sauf des notes brèves), peut-être que trois semaines demeureraient à la portée de ceux qui veulent vraiment aller au bout d'eux-mêmes. Et puisque c'est après deux semaines que le fond commence à remonter, il faudrait dépasser au moins les quinze jours pour effectuer un nettoyage en profondeur.

L'utilité des techniques

En recommandant cette méthode, je ne
nie pas la valeur des autres. J'ai moi-
même utilisé plusieurs de ces techniques
— psychanalyse, rolfing, rebirthing,
abandon corporel. Mais je veux simplement rappeler que pour atteindre à la libération, il faut avant tout une soif ardente
de Vie, une détermination solide à vouloir
aller jusqu'au bout, une conviction profonde que c'est soi-même qui doit céder
son être en entier, qui doit sacrifier *tout* à
cette Intelligence compatissante en nous.
C'est la partie supérieure en nous qui fait
cette reddition, la conscience supérieure
et sans passion, où le Oui décisif peut seul
être prononcé, au-delà des tergiversations
émotives de l'ego. Au centre de mon cœur

(qui est une autre façon d'indiquer la même disposition en soi, le même «lieu» spirituel), je peux céder ma vie, mon être, mon corps mental, mes émotions à cette source/racine qui m'inspire, me pousse, m'achève, m'attire et me transcende.

Céder son être, c'est dire ce Oui complet à la Vie. Et cela *ne peut* se faire au moyen d'aucune technique. Tout ce que peut une technique, c'est faciliter le processus qui mène vers cet acte essentiel. C'est la détermination à se libérer qui attire et embauche ces techniques, qui les utilise à ses propres fins. Et la façon dont ces techniques accomplissent ce travail, c'est de faire remonter le négatif, le refoulé, l'inacceptable en nous, en dégelant ce qui avait été mis au «congélateur».

En d'autres mots, si on entreprend un nettoyage intérieur, il faut être bien décidés à aller jusqu'au bout, s'aimer. Il faut s'aimer assez pour se libérer complètement et non à moitié. À un certain moment, ce qui nous déplaisait dans la vie ou chez autrui commence à changer de valeur. On apprécie davantage ce qui ainsi contribue à nous libérer. Ce qui nous libère devient *le bien* pour nous, alors que ce qui nous emprisonne, nous retient enfermé dans les peurs, les œillères et les blessures du passé, nous apparaît maintenant comme *le mal*. C'est une compassion plus haute qui s'empare de nous et nous permet de voir le négatif en nous avec compréhension mais aussi sans aucune pitié. C'est-à-dire qu'on ne veut plus rien conserver de sa complaisance antérieure, de son narcissisme sentimental, de son auto-pitié confortable. Aimer, c'est pousser quelqu'un vers une plus grande croissance, c'est faire sortir l'arbre de sa semence, c'est laisser entrer toute la lumière.

Méditation bouddhiste: la respiration

Depuis quelques années, la méditation la plus ancienne du bouddhisme s'est largement répandue en Occident. Je crois que c'est en effet un modèle de méditation et que pour cette raison elle rallie beaucoup de chercheurs. Je m'attarderai donc à la technique tirée de la première époque du bouddhisme, qui s'appelle le *théravada* («voie des anciens»). Cette technique est le *vipassana*, qui veut dire saisie intérieure (*insight*). On y développe l'attention à ce qui est, au-delà des goûts, attirances et répugnances.

La façon de procéder est très simple. On s'asseoit en tenant le dos droit, puis on ferme les yeux en portant son attention dans la région abdominale, où l'on peut percevoir le mouvement de la respiration. (Si on n'a pas de moustache on peut préférer l'attention au souffle qui frôle la lèvre supérieure.) Pour s'aider à rester concentré ou fixé sur la respiration, on peut *nommer* les mouvements: monter, descendre. Cela aide à fixer l'esprit. En réalité, on ne fait rien d'autre qu'être attentif à la respiration: on n'essaie pas de contrôler la longueur du souffle ou son rythme, ni d'analyser le processus respiratoire. On devient simplement le témoin de quelque chose qui *se fait*.

Et justement, le bouddhisme utilise ce mécanisme extrêmement banal et inobservé qu'est la respiration, pour nous faire prendre conscience de réalités fondamentales. Quand on observe le souffle, *on ne fait rien*. C'est-à-dire qu'il n'y a rien en nous qui fasse arriver la chose. Tout se passe indépendamment de notre vouloir. (Bien sûr, on pourrait retenir le souf-

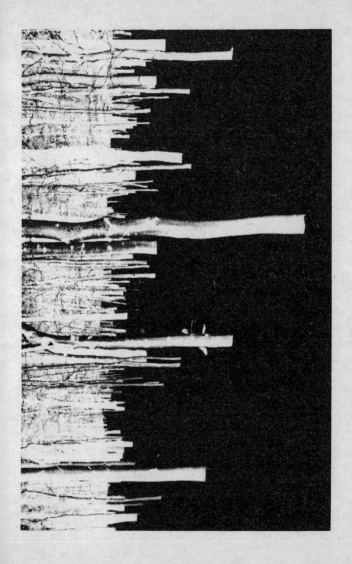

fle, mais, précisément, ce serait une intervention, et non un processus à l'état naturel, qui ne dépend aucunement de notre volonté.)

Cette constatation nous amène à deux des plus importantes découvertes du bouddhisme: que rien dans la nature n'est permanent et que rien n'a de *je*. Le souffle est toujours en train de recommencer, comme la mer, rien n'est permanent puisque chaque inspiration a besoin de son expiration et chaque expiration suscite l'inspiration qui suit. Mais au-delà de ce fait, il y a cette réalité que chaque entité dans la nature existe sans je, *sans un sujet individuel qui la fasse fonctionner*. Tout est processus fonctionnant de soi, sans nécessité d'intervenir.

Depuis le premier souffle à la naissance — où l'on commence à exister comme individu autonome, puisque ce n'est plus la mère qui nous fait respirer —, on a absorbé l'oxygène et rejeté le carbone sans savoir qu'on le faisait. Ce n'est que plus tard, peut-être autour de sept ans, qu'on s'est rendu compte que l'on respirait, qu'on a pris conscience du phénomène respiratoire. Mais cela n'a pas empêché le corps de se nourrir d'oxygène pendant tout ce temps, sans attendre que la conscience rationnelle soit en opération.

Et durant le sommeil, où le corps se détend dans une respiration large et uniforme, le mental rationnel n'intervient pas non plus, ce qui permet justement à la respiration de se faire sans encombres. Ce n'est qu'au réveil, lorsque le petit ego reprend son rôle, que la respiration retrouve ses cahots, ses hésitations, ses constrictions — le monde du mental émotif.

Ce qui fait dire aux anciens hindous que c'est dans le sommeil profond (au-delà du rêve) que l'on peut mieux saisir qui l'on est vraiment: l'au-delà de la peur. Et Yogananda dit que durant le sommeil on est «Dieu» mais que pendant l'état de veille on est démon.

C'est cette conscience de la réalité profonde que la méthode Vipassana peut éveiller en nous. Il y a plusieurs étapes ultérieures qui s'ajoutent à la technique de base centrée sur le mouvement respiratoire:

— La seconde étape consiste à observer sans les juger toutes les *sensations* du corps, à devenir corps qui voit, qui entend et qui sent (odorat, chaleur, froid, linge sur le corps, langue sur le palais). Il est cependant préférable de s'attarder à une seule de ces sensations, par exemple, aux sons entendus. Il ne s'agit pas de les analyser, seulement d'en être présent. En somme, on devient simplement un corps sonore.

Tout se passe dans le corps, il n'y a rien ici pour le mental.

—Une autre étape consiste à considérer les *émotions*. Comme en méditation, il est inhabituel d'avoir des émotions; on peut rappeler une scène émotive qui nous a marqué, soit le jour même, ou récemment, ou encore dans l'enfance. On n'analyse toujours pas la situation, on essaie simplement d'être neutre, spectateur, témoin, comme je dis souvent: à la façon d'une vache qui regarde passer un train — pas d'opinions, pas d'analyse, juste un étonnement attentif, plein d'attente et de réceptivité.

—La dernière étape concerne les pensées. Il s'agit de les regarder comme on a fait pour les émotions. Il serait utile ici d'ouvrir un tout petit peu les yeux, afin de ne pas être empêtré dans l'écheveau extrêmement compliqué du processus

mental. Ouvrir les yeux juste assez pour voir le jour, mais pas assez pour percevoir avec précision ce qui nous entoure. Ceci permet de rester plus éveillé. (On peut également garder les yeux mi-clos pour les autres étapes de cette méditation.) Chaque pensée veut retenir notre attention. C'est la chose la plus difficile à faire que de parvenir à regarder les pensées sans être engagé. Mais c'est une étape nécessaire si on veut en être libéré.

Dans cette technique, comme en tout ce qui touche à la méditation, il ne s'agit pas, à mon sens, de mater les sensations, le corps, les émotions et les pensées, mais plutôt de les accepter, de les reconnaître, de les intégrer, de cesser de s'en faire des ennemis et de les tenir à l'écart. Méditer, c'est apprendre à tout intégrer. Car on ne peut être pleinement en vie si tout n'a pas été accueilli, regardé dans les yeux, embrassé. L'amour — l'acceptation sans émotivité de surface — commence chez soi, dans sa maisonnée qui comprend émotions, sensations et pensées. On n'aime les autres que lorsqu'ils ont cessé justement d'être *autres*, lorsque la coupure, la barrière, l'écran a cessé d'exister. Mais avant qu'autrui cesse d'être vu comme hors de soi, il faut que ce qui est étranger en soi-même, étranger à soi, refusé, rejeté, haï, soit aimé *sans condition*, ramené, embrassé.

Aimer sans condition les humains, c'est la même chose que s'aimer soi-même sans condition. C'est aussi la même chose qu'aimer sans condition les événements qui se présentent au cours de la journée, dans leur attrait ou leur laideur. Il ne s'agit pas d'arriver à être indifférent, c'est-à-dire «sans intérêt», mais d'être plutôt «complètement en faveur de», voulant la chose, l'événement, l'être *tels qu'ils sont* et à partir de là, leur souhaiter bonheur, réussite, évolution — à leur rythme et à leur manière.

Dire le Oui Universel, c'est vivre en amour. Non pas, bien sûr, être en état de passion (qui veut toujours dire *souf-france*, comme la racine du mot «*pati*» — pâtir — l'indique). L'émotivité empêche d'aimer, c'est-à-dire qu'elle empêche d'être là, d'être en faveur de la chose ou de la situation, d'être sans préjugé. L'émotivité est toujours pour ou contre, elle aime ou déteste toujours. Et ce qu'elle aime, elle en veut, alors qu'elle repousse avec la dernière énergie ce qu'elle déteste.

Quand on est dominé par l'émotivité, on déteste le contraire (ou l'ennemi) de ce qu'on aime. Aimer ici s'oppose à haïr. *La passion se trouve des deux côtés.* On ne peut être heureux ainsi, puisqu'on est comme une balançoire qui est poussée d'un côté puis de l'autre au moindre «bonheur» ou «malheur». Ce n'est pas vivre heureux que de vivre ainsi, c'est passer d'une insatisfaction à une autre, puisque chaque moment de «bonheur» est menacé par son contraire. Ce que j'aime dans ces circonstances-là m'amène à détester autre chose qui s'y oppose.

L'amour vrai, sans tiraillement émotif, est une paix, un lâcher prise, une capacité d'être présent à ce qui est devant soi, indépendamment de ce que l'on ressent émotivement. Indépendamment de ce qu'on aime ou n'aime pas. Cet amour n'a pas de contraire: il y a amour ou simplement son absence, pas son ennemi — puisque cet amour est inconditionnel, donc il accueille sans exception.

Il ne s'agit pas de vaincre ses passions par la force, le vouloir ou l'effort. Il s'agit de développer en soi le lâcher prise, la paix et la compréhension. Car la passion, la colère, la haine, sont simplement des

tensions intérieures qui viennent de ce que l'on veut posséder, ce qui plaît et qu'on veut détruire (on refouler),ce qui déplaît. Mais l'amour vrai,la tendresse n'est pas absence d'émotion. Elle est sentiment profond, émotion non possessive, mais libre. Elle remue tout le corps, tout l'être. On n'aime qu'avec tout soi-même.

En luttant contre quelque chose, on l'envenime, on ne l'apaise pas. On en fait un ennemi encore plus présent, plus fort et plus menaçant. C'est le lâcher prise, l'acceptation, l'amour inconditionnel qui fait se dissoudre les conflits, les nœuds, les obstacles en nous. On ne peut avancer en luttant contre, car en luttant contre quoique ce soit, c'est contre soi-même que l'on lutte toujours.

En pratiquant le lâcher prise, les tensions passionnelles finissent par céder. C'est alors qu'en nous tout est unifié — soumis à un guide sage et compatissant.

C'est ainsi que l'on parvient à la maîtrise de soi — pas de façon militaire et volontariste. Si on agit par volonté, ce qui a été «maîtrisé» reparaît ailleurs sous forme camouflée — comme des bouchons qu'on essayerait de retenir sous l'eau. Il s'agit plutôt d'éclairer, de réchauffer, de centraliser l'énergie en nous, en soumettant tout à la Compassion, à l'Intelligence, à l'Humour.

Oui, l'humour. Il s'agit de laisser l'énergie libératrice et spontanée passer à travers nos sensations, émotions et pensées compassées et tordues, dénouant dans un grand rire les obstacles que l'on prenait tellement au sérieux et qui s'avèrent finalement de simples occasions d'apprendre de précieuses leçons. Je pense vraiment que sans humour on ne peut «aller au Ciel». Il faut beaucoup de légèreté, de spontanéité et d'abandon pour s'élever, se libérer, pour être disponible à cette infinie douceur.

La méditation de Muktananda: respiration et mantra

Cette méditation établit un pont entre celle qui précède et celle qui suit. Swami Muktananda, a rendu populaire une technique très simple qui consiste à observer la respiration (comme dans le *vipassana*), mais en y ajoutant un mantra. L'inspiration se fait en disant (intérieurement) HAM, et l'expiration en disant SA. HAM-SA est sans doute l'un des plus anciens mantras du monde. Il signifie: Je Suis Ce qui Est. On peut penser au sens de cette syllabe séminale (c'est-à-dire, un mantra), tout en demeurant attentif au souffle qui monte et descend — sans vouloir pour autant le contrôler ou l'analyser. Cette forme de méditation est très efficace et fut longuement pratiquée à travers les âges.

La méditation avec mantra seul

On peut aussi pratiquer une méditation analogue à celle-ci. Il s'agit de répéter intérieurement un mantra mais sans s'occuper en aucune façon de la respiration. On répète le son RAMA (ou NAMA ou AMEN) sans aucun effort (l'effort n'est pas permis si l'on veut que cette méditation soit efficace). On s'asseoit confortablement — assez pour pouvoir demeurer sans bouger pendant 20 minutes — et on ferme les yeux, répétant sans effort ce mantra. Il ne faut pas chercher à lui donner un rythme particulier mais suivre celui qui se présente naturellement (se rappeler: aucun effort). *Rama* est un des noms divins (signifiant Joie et Lumière); *Nama* signifie: j'honore, je respecte; *Amen* veut dire Oui. Mais il n'est pas du tout requis de penser au sens du mantra ni d'y invoquer «Dieu» par ce moyen. Ce n'est pas une prière, mais une méditation. (Il ne faut pas croire non plus que n'importe quel son est équivalent; ces mantras ont subi l'épreuve du temps.)

Cette méditation peut produire des effets très bienfaisants et prolongés. J'en ai retiré de grands bienfaits pendant quelque six années. Pour être efficace, cela doit se pratiquer deux fois par jour, le matin avant le déjeuner et le soir avant le souper. Si on n'a pas le temps de le faire à ces moments-là, on peut méditer à d'autres moments du jour, pourvu qu'il y ait trois heures entre chaque session.

On ne médite que 20 minutes à la fois dans cette méditation. De plus longues méditations se sont avérées excessives et, au lieu de produire des effets bénéfiques, cela énerve. C'est un peu comme prendre un bain chaud plusieurs fois par jour: cela affaiblit le corps. Donc, seulement 20 minutes mais deux fois par jour, pour créer un entraînement, pour habituer le système nerveux à fonctionner dans le calme.

Habituellement, on ne pratique pas cette méditation avant de se coucher, mais cela dépend des tempéraments. J'ai connu des méditants qui en retiraient du calme quand ils méditaient avant de dormir, mais habituellement, on est énergisé et donc peu disposé au sommeil.

Cette technique peut se pratiquer n'importe où, même au milieu du bruit. J'ai déjà médité place Alexis Nihon à Montréal, en plein bruit et avec de très bons résultats. Mais on ne peut la pratiquer si l'on est debout, si on a les yeux ouverts ou si l'on conduit une auto.

Remarques sur la respiration

La plupart d'entre nous respirent par le haut des poumons et le ventre rentré, tendu. C'est l'attitude de la peur, de la défense, de la méfiance. Normalement, quand on inspire, le ventre ressort et quand on expire, il rentre. C'est en somme par le ventre (le diaphragme) — comme on le voit chez les animaux —, que la respiration est réglée.

Chez les hindous, la respiration n'est pas un processus secondaire. Tout étant nourriture dans l'univers, respirer c'est absorber de l'énergie qui s'appelle *prana*. (Chez les anciens Juifs, également, on accordait beaucoup d'importance au souffle de vie: l'Homme devenait un vivant quand l'Esprit (*spiritus*: souffle, d'où respirer) insufflait en lui la vie.) Ce prana n'est pas seulement l'oxyène de la science, mais il contient aussi l'énergie subtile qui entretient la vie, qui nourrit les corps physique, émotif et mental (que la science ne connaît pas encore). Plus on est réceptif et à l'écoute, plus on absorbe l'énergie de l'univers, plus on vit de la Vie, plus on est énergisé par l'Intelligence créatrice — divinisé.

Lorsqu'on ne respire pas par en bas, mais qu'on se tient le ventre raide et contracté, on est tendu, peureux et méfiant. (On a tendance à ne pas intégrer le «bas» de notre être, ce que les anciens appelaient la terre en nous — comme dans l'expression «sur la terre comme au ciel» — et c'est ce rejet qui crée le blocage respiratoire et spirituel.) L'abandon et la confiance s'expriment par le ventre qui

s'abandonne — pas de contraction, de crispation, d'angoisse (*angustia*: resserrement).

Chez nous, Occidentaux, on nous apprend à retenir le ventre, à nous tenir droit. On confond «bien se tenir» avec «rentrer le ventre», alors qu'il s'agit avant tout de tenir la colonne droite — sans raideur. Mais le ventre doit s'étendre et prendre sa place, sans pour autant être forcé vers l'extérieur.

Les Orientaux tiennent leur ventre rond, nous le retenons. Le *Hara*, centre d'énergie à la base de l'être, se situe dans le bas-ventre. La confiance, l'abandon s'expriment par la présence au *Hara*, par l'absence de peur. Quand on n'a pas peur, le ventre s'arrondit et l'esprit y est alerte. (Depuis que j'ai appris ces choses, je tâche de m'y conformer — mais je voudrais secrètement être plus maigre puisqu'on m'a toujours appris qu'un ventre généreux ne va pas avec l'élégance! — préjugé qui prend du temps à dépasser.)

On peut déterminer le degré de tension ou d'abandon par la raideur et la relaxation du ventre, c'est-à-dire par la respiration facile et ample ou son contraire. Quand on est émotif, le corps est troublé: la respiration alors se morcèle, s'excite et le ventre se resserre. Quand on est en paix, en revanche, c'est un rythme large et harmonieux qui s'installe.

Même si on ne peut être conscient de chacune de nos respirations, il existe, comme on l'a vu, des techniques qui peuvent nous y amener. Pratiquer ce genre d'exercice pendant un bon moment, deux fois par jour, détend la respiration et nous rend plus conscient que c'est le corps qui respire, que la vie s'entretient en nous, que ce n'est pas en se crispant qu'on y ajoute quelque chose, mais que c'est en s'abandonnant à un processus qui est spontanément aisé et facile que l'on arrive à vivre dans la confiance comme un enfant. Nous ne sommes pas au contrôle, c'est l'Esprit (Souffle conscient et radieux) qui vit par tous ces corps. C'est la Conscience qui est au fond de toute vie. Une seule Conscience derrière ces myriades de corps. Pourquoi donc agir comme si le petit moi était en charge? Pourquoi ne pas regarder ce va-et-vient continuel, comme la plage regarde respirer la mer?

Les deux grands courants de méditation

La méditation ne vient pas de l'Orient, elle appartient à l'humanité. On la trouve dans les ordres monastiques chrétiens, depuis Basile et Benoît jusqu'à Bernard, tout comme dans les traditions védantique, juive, bouddhiste, taoïste, soufie et amérindienne. Cependant, c'est en Orient qu'on a davantage expérimenté les possibilités de la méditation, car la connaissance orientale de l'esprit et du corps fait apparaître comme infantile la psycho-physiologie occidentale. Les traditions védantique et bouddhiste ont développé une connaissance de la réalité qui n'est pas intellectuelle mais corporelle. Elles ont intégré tous les aspects du complexe corps/mental et savent maîtriser l'esprit aussi bien que la matière. Ces Orientaux sont donc bien équipés pour nous enseigner les aspects psychophysiologiques de la vie spirituelle. En effet, leurs techniques de méditation, de relaxation (les yogas) et d'éveil se sont avérées bien plus complètes et efficaces que les modèles occidentaux.

Cependant, je ne crois pas qu'il faille simplement devenir oriental et épouser les idées, modes, habillements et habitudes de l'Orient. Il faut prendre ce qui peut s'intégrer ou s'adapter, mais les attitudes sont différentes, ainsi que le rythme de vie et le climat. Même si on se réclame d'une tradition orientale, il n'est pas nécessaire de transplanter tout l'ensemble de ces pratiques. Richard Alpert et, en particulier, Albert Rudolph (Rudi) ont réussi à occidentaliser (américaniser) les techniques et les valeurs, sans pour autant les déformer ou les appauvrir. Je pense qu'il est essentiel d'être fidèle à soi-même et que le génie spirituel consiste avant tout à réinterpréter de façon nouvelle et concrète ce que l'on a absorbé ailleurs.

La Conscience et le Cœur

Il y a deux familles de méditation, celle qui est plutôt mentale (centrée sur la conscience) et l'autre qui est affective (centrée sur le cœur). On trouve ces deux techniques à la fois en Orient et en Occident. La voie du Cœur emprunte beaucoup l'imagerie et la visualisation (un peu comme je l'ai fait plus haut), dans le but de stimuler ou d'éveiller les affections et de remplir le cœur de chaleur généreuse. Cette méthode est utilisée en Occident par François d'Assise, Hugues de Saint-Victor et Ignace de Loyola, ainsi que par les Tibétains et les Hindous en Orient.

Un autre aspect de la méditation de

dévotion est la répétition d'une parole ou d'un son séminal qui crée une atmosphère incantatoire engourdissant les facultés raisonnantes pour éveiller le cœur. Ces *mantras* sont en usage depuis des temps immémoriaux dans le vedanta (Rama-krishna, Ram Das, le groupe de Krishna Consciousness), le bouddhisme (Tan-trisme), le soufisme (Derviches, Rumi), le hassidisme (Nahman de Bratzlav), mais on les trouve aussi en Occident, depuis Cassien et Grégoire Palamas (la prière de Jésus) jusqu'au *staretz* russe des temps modernes.

L'autre voie méditative se concentre sur l'esprit. C'est ce qui s'appelle le *jnana yoga*, le yoga de la connaissance, qui se distingue du yoga de la dévotion, le *bhakti*, qui font partie des quelques 22 formes de yoga. Jean de la Croix, Tho-mas Merton et Simone Weil sont des représentants occidentaux de cette manière, qui a moins de faveur chez les chrétiens que l'autre. En Orient, cette voie est celle du Bouddha, de Shankara, Ramana Maharshi, Nisargadatta et du soufi El arabi. Cependant, méditer sur la Conscience, ce n'est pas raisonner, ce n'est pas une opération de logique ou un processus discursif, comme cela est pratiqué dans certains des *Exercices* de Loyola. *La méditation n'est pas une réflexion*. Il s'agit plutôt d'utiliser l'esprit pour le dépasser, en développant le Témoin intérieur, le Je derrière tous les processus. On ne fait qu'écouter ce qui arrive, observant sans jugement ou émotivité ce qui se présente dans la pensée.

Les deux grandes voies de la méditation ne se comparent pas. Toutes deux sont valables, puisqu'elles apportent finalement le même résultat qui est d'établir un état de conscience au-delà de l'ego, au-delà du mental émotif. Les techniques dévotionnelles n'ont pas pour but de développer la sentimentalité; au contraire, elles mènent au-delà de l'émotivité, vers l'Amour inconditionnel, c'est-à-dire non émotionnel. Les personnes qui aiment vraiment expriment leurs émotions, mais celles-ci ne sont plus possessives ou agressives: la peur n'y est plus. Une fois qu'il n'y a plus la peur, il y a l'Amour.

Dans la méditation affective, les émotions deviennent un canal conduisant au-delà d'elles-mêmes, tout comme dans la méditation sur la Conscience, l'esprit est utilisé pour se transcender. Toutes deux mènent au-delà du mental et de l'émotif, là où la Conscience est Amour. Par deux voies différentes et apparemment contraires, elles atteignent le même but: l'intégration complète de l'Être assumant, complétant et réalisant les différentes dimensions qui dépendent de lui et aspirent à s'y perdre.

Méditer et prier

Pour moi, la méditation prépare à vivre sa vie quotidienne, elle prépare à dire le Oui de chaque instant. Mais dire ce Oui dans le concret de la vie, c'est ce que j'appellerais prier. («Priez sans cesse», recommandait saint Paul.) Pouvoir lâcher prise dans l'action même, c'est prier. Cela peut comprendre des demandes, des offrandes ou de l'adoration — de la reconnaissance —, mais essentiellement, c'est un lâcher prise d'instant en instant, un abandon continuel à ce qui vient. Si on demande quelque chose, on doit soumettre cette demande au Plan universel, à la Bonne Volonté de la Conscience universelle, et ne plus y revenir. Cela veut dire que l'on exprime un désir mais sans s'inquiéter de sa réalisation, sans même y penser.

La reconnaissance, la louange sont des façons admirables d'exprimer le lâcher prise. «L'Éternel est mon berger» en est un modèle très connu.

***

Dans la section suivante, je présente une trentaine de prières de diverses traditions. Elles sont là pour aider à lâcher prise, à s'abandonner, à abandonner le poing fermé pour la paume ouverte, à passer du filet d'eau à la mer.

Prières universelles

1. Seigneur, que mon cœur ne désire ni ne cherche que ce qui est nécessaire pour accomplir ton saint vouloir. Que mon âme soit parfaitement libre devant la santé ou la maladie, devant la richesse ou la pauvreté, devant les honneurs ou les reproches.

Ignace de Loyola,
chrétien

2. Seigneur, fais de moi un instrument de ta paix!
Là où il y a la haine, que je sème l'amour.
Là où il y a l'offense, que je sème le pardon.
Là où il y a le doute, que je sème la foi.
Là où il y a le désespoir, que je sème l'espoir.

Là où il y a les ténèbres, que je sème la lumière.
Là où il y a la tristesse, que je sème la joie.

Seigneur, que je ne cherche pas tant
d'être consolé que de consoler,
d'être compris que de comprendre,
d'être aimé que d'aimer.
Car
c'est en donnant que l'on reçoit,
c'est en pardonnant que l'on est pardonné,
et c'est en mourant que l'on naît à la vie éternelle.

François d'Assise,
chrétien

3. Comme une flamme qui brûle silencieusement.
Comme un parfum qui monte tout droit sans vaciller

mon amour va vers Toi.
Et comme l'enfant qui ne raisonne pas, ne s'inquiète de rien,
je me confie à toi
pour que Ta Volonté soit faite.
Que Ta Lumière se manifeste,
Que Ta Paix rayonne et que Ton Amour couvre le monde.
Quand Tu le voudras, je serai en Toi, Toi-même.
Et j'attends cette heure bénie sans impatience, en me laissant couler irrésistiblement vers elle, comme le fleuve paisible coule vers l'océan sans bornes

Ta Paix est en moi, et dans cette Paix, je ne vois plus que Toi,
présent en toutes choses
avec le calme de l'Éternité.

Mère,
collaboratrice d'Aurobindo,
védantiste

117

4. Puissé-je être un baume aux malades, leur guérisseur et serviteur, jusqu'à ce que la maladie ne revienne plus jamais... Mon être propre et mes plaisirs, toute ma droiture du passé, du présent et du futur, je les remets sans attache, afin que toutes créatures puissent atteindre leur fin. La tranquillité se trouve dans l'abandon de tout... Je me rends à tous les êtres vivants: qu'ils me traitent comme bon leur semble, je leur ai donné mon corps, que m'importe le reste! Mais qu'ils n'aient jamais rien à souffrir à cause de moi. Que tous ceux qui parlent en mal de moi ou me blessent ou me ridiculisent, partagent l'illumination. Je voudrais être un protecteur des non protégés, un guide des égarés, un bateau, un pont pour ceux qui cherchent le rivage lointain; une lampe pour ceux qui ont besoin de

lumière, un lit pour ceux qui ont besoin de repos.

Nagarjuna,
bouddhiste

5. Puissé-je être heureux, puissé-je conserver mon bonheur et vivre sans ennemi. Que tous les êtres soient prospères et heureux: qu'ils soient d'esprit joyeux, tous les êtres qui vivent, faibles ou forts, petits ou grands. Que les êtres visibles ou invisibles, proches ou lointains, nés ou à naître, qu'ils soient tous heureux. Que personne ne trompe personne d'autre, que personne ne soit dur de parole, que personne par colère ou haine ne veuille du mal à son voisin. Tout comme une mère qui au risque de sa vie surveille et protège son unique enfant, ainsi d'un cœur infini-

ment compatissant, je chéris toutes choses vivantes, rayonnant de l'amour au monde entier, assis ou couché, durant toutes les heures de veille, je chéris la pensée que c'est là la plus noble façon d'aimer.

Ainsi, en abandonnant les discussions vaines et les controverses, en marchant dans la droiture, je recevrai l'intuition profonde et maîtriserai le désir des plaisirs sensoriels, pour ne plus connaître la naissance. Que cela soit aussi la cause permettant à tous les êtres sentants d'être comblés dans ce qui leur permettra d'atteindre au Nirvana. Que tous les êtres sentants échappent aux dangers du vieil âge, de la maladie et de la mort. Que tous les êtres soient libérés.

Sayadaw,
bouddhiste

6. L'Éternel est mon berger; je ne man-
   querai de rien.
   Il me fait reposer dans de verts pâtu-
   rages,
   Il me mène le long des eaux tranquil-
   les,
   Il restaure mon âme,
   Il me conduit dans les sentiers unis,
   pour l'amour de son nom.
   Même quand je marcherai dans la val-
   lée de l'ombre de la mort,
   je ne craindrai aucun mal. Car tu es
   avec moi.
   C'est ton bâton et ta houlette qui me
   consolent. [...]
   Oui, le bonheur et la grâce m'accom-
   pagnent
   Tous les jours de ma vie.

David,
juif

7. Comme un cerf brame après les eaux courantes,
   Ainsi mon âme soupire après toi, ô Dieu!
   Mon âme a soif de Dieu, du Dieu vivant.

   David,
   juif

8. Tu es le seul, qui as créé ce qu'il y a;
   l'unique, qui as fait ce qui existe —
   c'est de tes yeux que viennent les hommes et de ta bouche les dieux...
   «Louange à toi» dit chaque bête fauve,
   «Gloire à toi» dit chaque terre étrangère,
   tu es aussi haut que le ciel,
   aussi large que la terre et aussi profond que la mer.

   Hymne à Amun,
   égyptien

9. Tu es pour celui qui a soif dans le désert, la douce fontaine!
Cette fontaine est scellée pour celui qui parle,
ouverte pour celui qui se tait!
Quand l'homme est tranquille, il trouve la fontaine.

Prière à Thoth,
égyptien

10. Que rien ne te trouble
Que rien ne t'effraie
Tout passe,
Dieu ne change pas
La patience
Obtient tout;
Celui qui a Dieu
Ne manque de rien
Dieu seul suffit.

Thérèse d'Avila,
chrétienne

11. Ô mon créateur et mon Dieu, à ta lumière je reconnais de quelle manière admirable je suis fait. De l'univers je suis fait et je suis dans l'univers et l'univers est en moi. Je suis aussi fait de toi et je reste en toi et toi en moi. Je suis de l'univers, l'univers me porte, il m'enveloppe et je porte l'univers et je l'enveloppe. Je suis son enfant et son fils, il est devenu ce que je suis, et je suis devenu ce qu'il est. Car tout ce qui est dans le vaste univers est aussi en moi spirituellement, c'est pourquoi je suis un avec lui et je ne peux être non plus que vivre sans lui. Il doit m'alimenter, me nourrir et m'entretenir autant qu'il le faut pour la vie mortelle. Aussi m'as-tu, ô Seigneur, créé à ton image, et tu me donnes l'esprit: tu es en moi et je suis en toi et ne peux sans toi vivre un seul moment. Tout cela, je le vois en

toi, car mes yeux sont tes yeux et ma connaissance est ta connaissance, ils voient ce que tu veux et non ce que je veux. Tu te connais et te vois à travers toi-même, c'est-à-dire à travers moi, et de là vient ma béatitude. En vérité, c'est à ta lumière que je vois la lumière.

Angelus Silesius,
indépendant

12. Je suis satisfait d'être ce que tu veux que je sois, de faire ce que tu veux que je fasse, d'être là où tu veux que je sois. Je vis et me meus dans ta conscience. Tu es plus près de moi que la respiration. Tu connais mes besoins avant moi. C'est ton bon plaisir de me donner le royaume, je puis donc me détendre et me reposer en toi.

Jœl S. Goldsmith,
indépendant

125

13. Guide-moi de la mort à la vie,
de l'erreur à la vérité,
Guide-moi du désespoir à l'espé-
rance,
de la peur à la confiance.
Guide-moi de la haine à l'amour,
de la guerre à la paix.
Que la paix remplisse notre cœur,
notre monde, notre univers.
Paix, paix, paix.

Thérèse de Calcutta,
chrétienne

14. Je remercie Dieu de mes handicaps,
car à travers eux, je me suis trouvée,
et j'ai trouvé mon œuvre et mon
Dieu.

Helen Keller,
aveugle-sourde-muette

15. Si j'avais à revivre ma vie...

J'aimerais faire plus d'erreurs la prochaine fois. Je me détendrais. Je me dégourdirais, je serais plus folle que je ne l'ai été cette fois-ci. Je prendrais moins de choses au sérieux. Je prendrais plus de risques. Je gravirais plus de montagnes et traverserais plus de rivières. Je mangerais plus de glaces et moins de fèves. J'aurais probablement plus de problèmes réels, mais beaucoup moins d'imaginaires.

Voyez-vous, je suis une de ces personnes qui vit sensément et raisonnablement heure après heure, jour après jour. Oh, j'ai eu mes moments, et si j'avais à recommencer, j'en aurais davantage! En fait, je tâcherais de n'avoir que cela, simplement des moments, les uns après les autres, plutôt que de vivre tant d'années à l'avance. J'ai été une de ces personnes qui ne vont nulle part sans un thermomètre, une bouillotte et un imper. Si j'avais à refaire le même chemin, je voyagerais plus légèrement.

Si j'avais à revivre ma vie, je commencerais à aller nu-pieds plus tôt au printemps et je continuerais ainsi plus tard à l'automne. J'irais danser plus souvent. Je me promènerais sur les manèges davantage. Je cueillerais plus de marguerites.

Nadine Stair,
femme de 85 ans

16. Ô mon Dieu, jamais je ne me penche pour écouter le cri d'un animal, le bruissement du feuillage dans les arbres, le murmure de l'eau, la psalmodie des oiseaux, jamais je ne tends l'oreille à l'invite amoureuse de l'om-

bre, au bourdonnement du vent ou au grondement du tonnerre, sans trouver qu'ils témoignent de ton unicité.

D'hul-nun l'Égyptien,
soufi

17. Nous sommes la harpe, et c'est toi qui joues sur nos cordes, ce n'est pas nous qui nous lamentons; c'est toi qui gémis.

Nous sommes comme la flûte, notre musique vient de toi, les pièces d'un échiquier que tu ranges en bataille et fais se mouvoir pour la défaite ou la victoire.

Notre victoire et notre défaite, elles sont dues à toi, être suprême.

Qui sommes-nous, ô âme de nos âmes, que nous existions auprès de toi?

Nos existences ne sont que non-existences: tu es l'être absolu, tu fais apparaître les choses périssables.

Nous sommes des lions blasonnés sur des étendards qui flamboient:

Ton souffle invisible nous déploie sur le monde.

Du moment où tu vins dans le monde de l'existence, une échelle fut placée devant toi pour te permettre de t'évader; d'abord tu fus minerai, puis tu devins plante; ensuite, tu es devenu animal: comment l'ignorerais-tu?

Puis, tu fus fait homme, doué de connaissance, de raison, de foi; considère ce corps, tiré de la poussière: quelle perfection il a acquise! Quand tu auras transcendé la condition de l'homme, tu deviendras, sans nul doute, un ange; alors tu en auras fini avec la terre; ta demeure sera le ciel.

Dépasse même la condition angélique: pénètre dans cet océan, afin que ta goutte d'eau puisse devenir une mer...

Rumi,
soufi

18. Ô ami, dans l'océan de ton amour
je veux me jeter, m'y noyer et passer outre;
des deux mondes, je veux faire un lieu de fêtes,
je veux les parcourir, je veux m'y réjouir, et passer outre.

Je veux me jeter dans l'océan, et m'y noyer,
je ne veux plus être ni A, ni B, ni C,
je veux être rossignol dans le jardin de l'ami,
y cueillir les roses, et passer outre...

Grâces te soient rendues, Seigneur, j'ai vu ton visage,

j'ai bu dans la coupe de ton union;
maintenant je veux disperser aux quatre vents
cette ville du «tien et du mien» et passer outre.

Yunus Emre,
soufi

19. Auparavant, je t'imaginais extérieur à moi;
je te supposais au terme de mon voyage;
maintenant que je t'ai trouvé,
je sais que c'est toi que j'abandonnai dès mon premier pas.

Jami,
soufi

20. Seigneur, tu es Mère et Père, et nous sommes tes enfants.
Tu es mon Père, ma Mère, mon frère, mon parent,
partout tu es mon Sauveur, pourquoi craindrais-je?

Gourou Arjan Dev,
sikh

21. Grand Père, tu es tout et cependant au-dessus de tout! Tu es premier. Tu l'as toujours été. Cette âme que nous gardons sera au centre du cerceau sacré de cette nation; à travers ce centre nos enfants seront forts de cœur et ils marcheront sur la voie droite d'une façon sacrée. Ô Grand Esprit, tu es la vérité. Aide-nous à marcher sans difficulté sur la voie sacrée de la vie, avec nos esprits et nos cœurs continuellement fixés sur toi.

Aide-nous à marcher à pas fermes. Que nous, qui sommes ton peuple, nous nous tenions d'une manière sacrée qui te plaise. Donne-nous la force qui vient d'une compréhension de tes pouvoirs. Parce que tu nous as fait connaître ta volonté, nous marcherons sur la voie de la sainteté portant dans nos cœurs l'amour et la connaissance de Toi. Pour cela et pour tout, nous te disons merci.

Grand Père, tu es premier et tu l'as toujours été. Tu nous as amenés à cette grande île et ici notre peuple désire vivre d'une manière sacrée. Enseigne-nous à connaître et à voir toutes les puissances de l'univers, et donne-nous de comprendre qu'elles ne forment toutes ensemble qu'une seule puissance.

Ô étoile du matin, à l'endroit où se lève le soleil, ô toi qui as la sagesse que nous cherchons, aide-nous et tout notre peuple à nous purifier, pour que les générations à venir aient la lumière sur leur voie sacrée. Tu guides l'aube dans sa marche, ainsi que le jour qui suit avec sa lumière, qui est connaissance; ceci tu le fais pour nous et pour tout le peuple de la terre, pour qu'ils voient clairement sur leur voie sacrée; pour qu'ils sachent que tout est saint.

Black Elk,
amérindien

22. Que Dieu me donne la force d'accepter ce que je ne puis changer et le courage de changer ce qui peut l'être, ainsi que la sagesse de distinguer entre les deux.

Marc-Aurèle,
romain

23. Ô terre, pour la force de mon cœur
je te remercie.
Ô nuage, pour le sang de mon cœur
je te remercie.
Ô feu, pour la lumière de mes yeux
je te remercie.
Ô soleil, pour la vie que tu m'as don-
née
je te remercie.

Chef Dan George,
amérindien

24. Prenez, Seigneur, toute ma liberté,
ma mémoire, mon intelligence et ma
volonté. Tout ce que j'ai, tout ce que
je possède, me vient de vous, je vous
le rends. Je m'abandonne à vous.
Donnez-moi seulement votre grâce.
Cela me suffit.

Ignace de Loyola,
chrétien

25. Ô Grand Esprit, dont j'entends la voix dans les vents, et dont le souffle donne vie au monde entier, entends-moi.

Je suis un homme devant toi, un de Tes nombreux enfants, je suis petit et faible, j'ai besoin de Ta force et de Ta sagesse.

Que je marche dans la beauté et que mes yeux voient toujours les couchers rouges et empourprés.
Fais que mes mains respectent les choses que Tu as faites.

Que mes oreilles soient assez fines pour entendre Ta voix.

Rends-moi sage pour que je comprenne les choses que Tu as enseignées à mon peuple, les leçons que Tu as cachées dans chaque feuille et chaque pierre.

Je cherche la force, Créateur Unique,

non pas pour être supérieur à mes frères
mais pour combattre mon plus grand
ennemi, moi-même.
Fais que je sois toujours prêt à venir à
Toi les mains propres et l'œil droit,
de sorte que, lorsque la vie déclinera
comme le soleil couchant, mon esprit
puisse venir à Toi sans blâme.

Prière amérindienne

26. Je suis la vie entière qui se retrouve
même dans les pierres, car tout ce qui
est vivant prend racine en moi.
Je suis cette force suprême et ardente
qui rayonne de toutes les étincelles de
la vie.
La mort en moi n'a point de place.
Je suis cette substance divine qui s'illumine dans la beauté des champs.
Je suis la brillance de l'eau.

Je brûle dans le soleil, la lune et les
étoiles.
La force mystérieuse du vent invisible
est la mienne.
Je suis dans le souffle de tout ce qui
vit.
Je respire avec les prés verts et les
fleurs.
Quand les eaux coulent comme des
êtres vivants, c'est moi.
Je suis parmi les colonnes qui suppor-
tent la terre.
Toutes ces choses vivent parce que je
suis en elles, comme leur vie.
Je suis la sagesse.
Lorsqu'éclata le tonnerre du verbe
créateur de toutes choses, ce verbe
était le mien.
J'habite tous les êtres pour qu'ils ne
meurent pas.
Je suis la vie.

Hildegarde de Bingen,
chrétienne

27. En ce jour qui commence, je salue tous les êtres auxquels je me rattache: les proches avec qui j'ai choisi de partager l'expérience de l'incarnation, mais aussi les moins proches et jusqu'aux plus éloignés — puisque nous partageons tous la même aventure.

Je salue les êtres du monde des esprits: tout d'abord les morts qui sont plus vivants que nous — nos ancêtres; de même que les guides spirituels.

Je salue tous ceux qui, disciples et maîtres, se rattachent à la hiérarchie à laquelle j'appartiens sur la voie spirituelle. Je demande à ceux qui m'ont précédé de m'éclairer, de me soutenir, de me guider. Je salue enfin les formes inférieures de vie avec lesquelles je veux être en harmonie; en particulier, les animaux et les plantes qui sont dans ma vie, de même que le monde inanimé qui m'entoure. Car tout participe de la même Conscience.

Prière d'inspiration soufie

28. Va paisiblement ton chemin à travers le bruit et la hâte et souviens-toi que le silence est paix. Autant que faire se peut et sans courber la tête, sois ami avec tes semblables; exprime ta vérité calmement et clairement; écoute les autres, même les plus ennuyeux ou les plus ignorants. Eux aussi ont quelque chose à dire. Fuis l'homme à la voix haute et autoritaire: il pèche contre l'esprit. Ne te compare pas aux autres par crainte de devenir vain ou amer, car toujours tu trouveras meilleur ou pire que toi. Jouis de tes succès mais aussi de tes plans. Aime ton travail aussi humble soit-il, car c'est un bien réel dans un monde incertain; sois

sage en affaires, car le monde est trompeur. Mais n'ignore pas non plus que vertu il y a, que beaucoup d'hommes poursuivent un idéal et que l'héroïsme n'est pas chose si rare. Sois toi-même et surtout ne feins pas l'amitié; n'aborde pas non plus l'amour avec cynisme car, malgré les vissicitudes et les désenchantements, il est aussi vivace que l'herbe que tu foules. Incline-toi devant l'inévitable passage des ans, laissant sans regret la jeunesse et ses plaisirs. Sache que pour être fort, tu dois te préparer mais ne succombe pas aux craintes chimériques qu'engendrent souvent fatigue et solitude. En deça d'une sage discipline, sois bon avec toi-même. Tu es bien fils de l'univers, tout comme les arbres et les étoiles. Tu y as ta place. Quoi que tu en penses, il est clair que l'univers se déroule comme il se doit. Sois donc en paix avec Dieu, quel qu'il puisse être pour toi; et quelle que soit ta tâche et tes aspirations dans le bruit et la confusion, garde ton âme en paix. Malgré les vilenies, les labeurs, les rêves déçus, la vie a encore sa beauté; sois prudent. Essaie d'être heureux.

Max Ehrmann,
Desiderata

29. Que je sois en paix et heureux
Que tous les êtres que j'aime soient en paix et heureux
Que tous les êtres que je n'aime pas soient en paix et heureux
Que tous les gens de mon pays soient en paix et heureux
Que tous les gens de la terre soient en paix et heureux
Que tous les malades soient guéris et connaissent la paix

Que tous les drogués et alcooliques soient guéris et connaissent la paix
Que tous les gens qui souffrent soient guéris et connaissent la paix
Que tous les divorcés soient en paix et heureux.

Je demande pardon à tous ceux que j'ai offensés: qu'ils soient en paix et heureux
Je pardonne à tous ceux qui m'ont fait du tort: qu'ils soient en paix et heureux

Que tous ceux qui ont quitté cette terre soient en paix et heureux
Que tous les êtres, petits et grands, visibles et invisibles, vivants et défunts, soient en paix et heureux

Que la paix règne dans les esprits et les cœurs
Que les corps et les esprits soient en bonne santé

Que personne ne souffre ni ne connaisse la misère
Que la paix, la bonté et la lumière du Bouddha s'éveillent et remplissent la vie et le cœur de tous les vivants

Prière d'inspiration bouddiste

30. Père, que ta volonté se fasse et non la mienne.

Jésus,
juif

Méditation lue

(Visualisation)

À quelqu'un qui peut être assis ou couché

Commencez par vous détendre, en respirant profondément trois fois.

(pause)

Ensuite, étirez vos muscles, les tendant pour ensuite les relaxer.

(pause)

Imaginez que vous êtes entouré de lumière, que vous respirez de la lumière et pendant que vous prenez de longues et paisibles inspirations, vous recevez cette lumineuse énergie qui vous traverse le cœur. Centrez-vous sur le cœur. Voyez cette lumière passer par votre cœur et le remplir de sa force et de son rayonnement.

(pause)

Que votre cœur soit le lieu de transformation de votre être. Vous devenez lumière.

(pause)

À cause de votre qualité d'âme, de très grands êtres sont ici présents. Ils sont présents à vous comme une lumière dorée qui vous entoure. Recevez en vous cette lumière, buvez-là, imprégnez-vous- en.

(pause)

Imaginez que cette brume dorée se ramasse autour de vous et se concentre dans votre cœur. Elle prend la forme d'un être de la grosseur d'un pouce qui s'assied sur une fleur au milieu de votre cœur. Laissez cet être rayonner de lumière comme une flamme dans une lampe. Cet être est paisible, rayonnant, joyeux, plein de compassion.

(pause)

Imaginez maintenant que cet être de sagesse qui remplit votre cœur, commence à grandir. Petit à petit, il émane de votre cœur, il irradie, il prend la dimension de toute votre poitrine, puis de tout votre corps: il remplit votre tête, vos bras, vos jambes, de sorte que là où se trouvaient vos membres se trouvent maintenant ses membres à lui. À l'intérieur de votre peau se trouve une lumière pleine et rayonnante, qui est cet être resplendissant de paix et de compassion.

(pause)

Votre corps, rempli de cet être qui rayonne, s'agrandit petit à petit jusqu'à ce que votre tête atteigne au-delà du plafond, et que vous soyez assis sous le plancher et que tous ceux qui sont dans cette salle soient à l'intérieur de vous. Tous les bruits viennent maintenant de votre intérieur.

(pause)

Imaginez que vous grandissez encore, tout rempli de cet être qui rayonne en vous. Votre corps atteint des dimensions gigantesques. Dans votre corps évoluent toutes les planètes et la terre se trouve dans votre ventre. Toutes les villes, tous les pays sont en vous. Entendez les lamentations, ressentez les peines, les joies, la beauté et la souffrance qui montent de chez les humains. Ressentez tout avec compassion. Toutes ces souffrances sont en vous. Toutes les joies aussi. Tout est en vous, tout est à l'intérieur de votre conscience.

(pause)

Imaginez maintenant que votre corps rayonne de cet être de lumière et de sagesse qui vous remplit, imaginez votre corps grandissant encore davantage, jusqu'à ce qu'il atteigne le niveau des galaxies. Toutes les galaxies se trouvent en vous. La danse de l'univers devient votre danse. Vous devenez la danse du monde. Et tous les âges, tous les espaces, les trous noirs, les constellations, toutes les possibilités se trouvent en vous. C'est de vous, de l'intérieur de votre conscience, du centre de votre cœur, que naissent tous les mondes. Restez assis au milieu de l'espace infini, vous reposant dans le silence et la liberté complète.

(pause)

Imaginez maintenant que vous dépassez même cet univers, où il y a des formes et des limites, et que vous entrez dans ce qui n'a plus de forme, ni de contour, ni d'apparence. Vous êtes, simplement. Vous êtes le seul. Vous êtes l'ancien du monde. Vous êtes avant toute chose. Il n'y en a point d'autre que vous. Il n'y a rien avant vous, rien après. Vous êtes simplement la Vie, la Conscience.

(pause)

Maintenant, vous revenez doucement de cet au-delà de toute forme et vous rentrez dans le monde des formes et des mouvements, et vous vous rapetissez jusqu'à ce que votre tête soit parmi les étoiles et que la terre soit au milieu de votre ventre. Toutes les créations des humains se trouvent en vous. Vous comprenez en vous, vous embrassez en vous tous les êtres. Puisque vous avez tous les sentiments, vous êtes la compassion du monde. Puisque vous comprenez toutes choses, vous êtes la sagesse du monde. Vous êtes amour, patience, paix, pardon.

(pause)

Rayonnez sur l'univers entier. Envoyez vos vibrations de compassion et de compréhension. Donnez ce que vous avez reçu. C'est la loi d'harmonie universelle. Et plus vous donnerez, vous vous apercevrez que vous recevrez toujours plus que vous n'avez donné.

(pause)

Imaginez maintenant que votre corps, rayonnant toujours de cet être qui est au milieu de votre cœur, imaginez que ce corps rentre dans cette salle avec sa tête tout au plafond. Arrêtez-vous ici un instant. Du haut de votre conscience qui surplombe la scène, jetez votre regard sur cet être que vous croyiez être au début de cette méditation. Regardez-le avec compassion, sans jugement, avec compréhension. Voyez sa sincérité, son grand désir de libération, voyez la pureté de cette âme. Avec votre main, doucement, touchez la tête de cet être qui est assis et bénissez-le. Voyez combien il est prêt d'être libéré, voyez ce qui l'empêche d'avancer, voyez ses attaches et blocages, voyez son cheminement et ses possibilités. Voyez ce qu'il est réellement derrière ses apparences. À ce moment, vous êtes à la fois ce qui bénit et ce qui est béni.

(pause)

Maintenant, vous êtes revenu à votre taille normale, et votre cœur est encore rempli de ce petit être lumineux de la hauteur d'un pouce assis sur une fleur. Laissez-le rayonner en vous et sachez que vous pouvez toujours atteindre cet être qui ne peut vous quitter. Il est la lampe qui veille pendant la nuit. Il ne s'éteint jamais. Et à tout instant, vous pouvez, si vous apaisez le mental et ouvrez le cœur, vous pouvez ressentir sa paix, goûter sa sagesse, brûler de sa compassion. Il vous suffit de vous arrêter et de vous taire, de respirer profondément et de laisser cette conscience profonde remonter en vous.

Alors, vous comprendrez que le maître spirituel, Dieu et votre être sont une seule et même chose.

Richard Alpert
(appelé aussi Ram Dass)

L'auteur reçoit chez lui pour des consultations privées.

Il est également disposé à donner des conférences ainsi que des séminaires d'une journée ou d'un week-end à des groupes qui le désirent.

S'adresser au 2503, Sheppard, Montréal (Québec) H2K 3L3, tél.: (514) 596-1819.